C0-AWJ-897

Envers le jour

Les Éditions du Nordir ont été fondées
au Collège universitaire de Hearst en 1988
Case postale 580
Hearst (Ontario) P0L 1N0

Depuis 1989:
Département des lettres françaises
Université d'Ottawa
165, rue Waller
Ottawa (Ontario) K1N 6N5
Téléphone: (819) 243-1253
Télécopieur: (613) 564-9894

Mise en pages: Robert Yergeau
Correction des épreuves: Jacques Côté

Les Éditions du Nordir sont subventionnées par le Conseil des Arts
du Canada, par le Bureau franco-ontarien du Conseil des Arts
de l'Ontario et par la Municipalité régionale d'Ottawa-Carleton

L'auteure a bénéficié d'une bourse du Conseil des Arts de l'Ontario
dans le cadre du programme «Aide à l'écriture»

Les Éditions du Nordir remercient le Collège universitaire de Hearst
et le Département des lettres françaises de l'Université d'Ottawa de leur appui

Agent commercial du Regroupement des éditeurs canadiens
de langue française: Éric Phaneuf
Téléphone: (514) 662-8397
Télécopieur: (514) 662-2153

Distribution: Diffusion Prologue Inc.
1650, boul. Lionel-Bertrand
Boisbriand (Québec)
J7E 4H4
Téléphone sans frais: 1 800 363-2864
Télécopieur: 1 800 361-8088

Dépôt légal: premier trimestre de 1994
Bibliothèque nationale du Canada

ISBN 2-921365-21-9

Margaret Michèle Cook

Envers le jour

Poésie / Le Nordir

Avancée

I Création
Solitude solaire

Je contiens le dragon fragile
se blessant
se perdant
dans l'éclatant soleil éclaté.

Il vit de mes profondeurs
une   épée
et médite la beauté de mes paysages.

Ma délicatesse le dévoile
Mon intimité le cherche
et il répond par des flèches ou
par le silence:
Rouge Page —

Tête qui s'éclate en toutes directions
Fuite à l'envers du sang
Infiltration dans chaque membre et
Je cause de mon secret.

Je tiens le fil de l'esprit embrouillé
Et l'invisible destinée
Rejoint l'abîme
Des gestes qui m'entourent.

Lecteur

Tu y étais à l'aube de ma naissance
Je te crois
J'enserre le paysage blanc (qui n'a que faire de ce ciel gris)
Dans mes bras
De ce qui naît et renaît dans ce vert espace
De glace
L'image capturée

Celui qui n'écoute
Qu'avec cette oreille disloquée
Qui ne sait où il va et se penche un peu de mon côté.

Équilibre du soir

Je voyage sous la lune
dans ma tête
Dessous les palmiers, dessus les constellations
Symboliques
Surréelles
la salle s'obscurcit
le rideau se lève
Avant que les applaudissements ne commencent ou ne s'arrêtent
Il faut bien voir autour
du phare
de la loge
La lucidité n'est jamais facile
fidèle? Il se peut
Je plonge en avant, et le paysage souterrain reprend

Sa verticalité.

Vienne 1900: Klimt

Sous toiles, tableaux sur les murs
Nous nous faufilions
Plusieurs
Pour retrouver les étincellements lumineux
Phosphorescences de fantômes

Couleurs de poissons d'eau de mer
Parmi les fragments d'or
Le Temps
Voir transmuté à l'immobilité
Glissement fixe

Les spectateurs s'élancent d'un bout à l'autre
Sous la protection
L'arc
L'indivisible matière les reprend
Cargo sauvé

Les visages soudain prennent forme
La confusion momentanée s'espace
L'allure
Tout présent doré
De rive en rive

Alors l'oeil se réfléchit
Croyant à cette connaissance du sourcillement
Couche
De transmission
Odeur de vérité

Et le cadre se referme
Contenu d'avance apprivoisé
Acharnement
Texture du travailleur

J'y suis pour quelque chose.

Blessures d'à côté

II Maintenant

Soleil double
Nuit profonde et claire
Les sifflements humains nous traversent comme l'eau douce
et nous repartons à la recherche de l'équilibre des chemins de fer
trains toujours au départ
à l'arrivée
Destinations parfois désirées
cigarette entre les doigts.

Être partout à la fois mais bien y être
comme l'araignée dans sa toile rose au reflet de son plaisir
Et l'insecte volant s'avance vers sa nouvelle source
d'intérêt

Ou être ici, mais sûrement
Au reflet de bagages et d'horaires
comme les voix étrangères chez elles - atteignant le plafond
le réveil prévu   inhabituel
les coulantes émotions

qui écoutent.

Mémoire généreuse

Dans un livre, c'est écrit.

Je voudrais les manger tous
leur faire peur à tous
car ils m'ont fait cela
sans voir
sans vouloir peut-être
chacun à sa façon

Je crée l'arène de mes pensées
chacun à sa place
Et je choisis mon taureau invincible
Raisonneur
comme seule je peux
Et le spectacle commence, programmé
sans limites
à moi de jouer.

Tous à la fois ou un par un?
Combinaisons à l'infini -

Pose

Joue sur ces trois notes
Épuise-les à ta splendeur
Marche jusqu'à ce que tes pieds crient
De frayeur
Chante comme un volcan oublié de la nuit
Perds jusqu'à reconstituer le cercle
Assume le rôle de musicien
Tu es moi et tu es autre de ma vie

Surtout que je ne te reconnais plus
Acharnement solaire

Figure de bronze

Retracer nos pas
Encore
revoir les magasins, les pierres, l'escalier de bois
et pourtant, je m'explique
ma statue ne restera pas sur le banc de la colline
à contempler
comme celle de votre poète
tordu dans le temps

Je retrouve mon départ
une pesanteur sans visibilité se fait jour
en mon centre.
L'éclair de l'image reprend son chemin
dans l'instant fragile

Cicatrices de mes visages voilés

Par deux fois déchiré
Où la troisième
Caché le secret
Se répercute l'image de murailles
À peine quelques savantes réflexions
Quelques fentes - flèches partantes
Précieuses cicatrices
La Beauté coupante

Qu'est-ce qu'il reconnaît en moi
Rehausse le miroir-monde pour ne pas
Qu'il tombe en pleine face
Le pluriel de minutieuses décisions

Rêve trop éveillé
Difficilement subverti.

En autobus

Oui, de trop - je le suis
de trop
Je joue tous les rôles
cherche vainement
à faire reconnaître la forêt
le périlleux danger
(C'est moi qui suis blessée)
C'est moi qui ai déjà tout capturé
Propagée au-delà

Le vaillant effort tire
jusqu'à l'arrivée en cette cité
où le bleu du ciel cesse de détonner

Nuages: je descends dans l'embouchure du métro.

Couteau

Tu me déchires
tel le couteau sans lame.
Je respire
cette nuit de neige
Je te vois
sous la lumière des phares
Tu reconnais en moi
ce désir lointain
d'unité sereine

À deux la vie se meut
en une si inébranlable
vision partagée
D'où séparation
planétaire
Laquelle des paroles
traverse le goût du soir
embaumé
sous nos Yeux.
T'envoleras-tu avec?

Chéris ce moment pris

dans l'absence du temps.

Ballet

Il neigeait le soir après votre départ.
Et je suis restée
entaillée
immobile au fond de la loge
contemplant le lac desséché qui ne reflétait pas vos yeux
profondeur acquise.
Les notes musicales retiennent la main
bonheur encerclé
Protection impossible dans la lanterne magique qui tourne
à vitesse éblouissante
à l'image du plafond de
L'Opéra:
bleu
rose
jaune
vert
couleurs de Chagall
votre figure
captée par une cravate
sous l'âme des mots
Ariane.

Sonnerie

Encore un faux numéro
Problématique au sein de la nuit
Erratique au fil de l'oeil
Bleu
Maintenant
Bleu
Violent - non
Violet vert
La nouvelle rage de l'expression
Sous le téléphone
Qui
Lentement
de l'illusion de sa corde
Étrangle.

Les autres ne comptent pas
                    n'ont rien à voir
                                        à avoir.

Hantise

Glisse - tu glisses
Souris - tu souris
Le poids énorme de la vie plus grande que mirage
Te suit
Le sentiment rebelle de larmes plus qu'étoiles
Te mord
La menace effrayante de la journée vide
S'approche
La peur de silences plus incertains que nuits
S'agrippe.
Le courage de choisir clair s'effrite

Réveil

Si tu me portes atteinte
dans mon rêve
c'est que je ne pardonne plus

Tu me croises
Tu me vois
J'ai été distraite d'attention
je m'enlise

ensuite le tableau vert
si sûrement vert
que je dois bien me concentrer pour
effacer
la craie blanche

derrière ma tête ton silence
ce que tu regardes comme fixe
Idée
Connais-tu la blancheur de ma nuit?

À la suite du soleil

III Avant

La flamme traverse l'Âge d'Or et retrouve
le son de ta voix
Tu cherchais l'aube de ma naissance
lorsque la danse des notes se répandait

Dans tes doigts tu as vu l'imagination de ma vie
les secrets de la rose
l'ouverture
du chemin descendant

Tu découvres la place
mienne
la montre du soleil
des bois.

Stylo

Je cherchais une page blanche des deux côtés
pour capter
cette lueur
fortement empreinte de Paris
J'ai rêvé les plumes avec lesquelles je tente de créer
l'aile
d'où coulera l'encre
à ma guise
Les glissements subtils de la ville creusent derrière les yeux
Bleuis (forcément)
Et cette goutte d'eau, larme sur la peau de la jambe
empreinte
Protégée
Resplendit

Voir

Un lac scintillant
de rayons dansants

le télescope m'emmène
au reflet de ma vie
au roc mi-submergé
Je flotte dans des yeux bleus ou bruns

Je divague visiblement
et je repasse
Liquidité
À perte de
Vue

Plage

Je repère
dans le regard intense
du garçon attaché à son chien
Ce qui nous tient   entre nous
Le filet
            me recouvre

Dans mon corps exigeant,
jusqu'à la noirceur d'un chien nageant
la blancheur d'une peau ensoleillée
Je me faufile à la rencontre du silence
et de son écho.

Ondulations

Déguiser l'épuisement l'incertitude
de ses forces.
Le soleil se lève de nouveau trop vite
en voyage
il change d'habits:
le même épisode différent

L'oiseau l'avion
Souffle d'une porte qui bat des deux côtés
Libre attachée
Souriante.

Eau colorée

Si tu venais me revoir ici
tu verrais l'ambulante
observatrice

Je me débats parmi la foule et les bruits
familles en vacances
eau salée de mer de piscine
J'exige
le bleu clair
insupportable
dans lequel le ciel des bois d'automne se taille et

Le bateau
à voile repasse
Dans nos coeurs à jamais au courant

Photo captive

Je t'imaginerai
où tu veux que tu sois

Voyageur lointain
Quand je traverse bleu clair la petite salle de bain
Transportée sous les ciels vécus

Peau sensible face au soleil
Efforts possibles face au regard
et pas approfondis; traces de soi

Un salut répond à l'autre -
ne fais pas trop le vide
à écouter le bruit de ces murs de sable

Nos images ne se trouvent pas là où nous les attendons.

Visites

À petits pas,
et meubles chaises bois de temps passés
L'intériorité vécue, boulevard Voltaire

La fenêtre des toits permet
une vision embrumée
de la multitude
un élan (sournois)

Sait-on jamais ce que fixent les passants
Permutations à deux sens
Glace-vitrine.

Et les toits de Paris absorbent
les phares lumineux des voitures-jouets

La nappe

«La fée tourbillonne sous la salade millénaire»
le même commencement de vers n'inquiète
que rétrospectivement
Pourtant le ciel enchaîné prévient
le vent
de ne plus voir le restaurant
où nous nous sommes regroupés
Pour contempler l'horizon
de nos amusements
réciproques
Nous tournions sur nous-mêmes
le papier accueillant notre encre
chacun à son tour; lacune -
les mains ne peuvent pas déplacer la saison

La nappe-papier répond aux appels
vers par vers
Comme il se doit.

Rencontres

En rond,
sous l'ombrelle se mettre à parler
Le soleil suit son chemin
de-ci de-là
sur le balcon entouré
de nouvelle compréhension
Langues à travers
la frontière
imaginable.

En rectangle,
près de la table mise blanches serviettes
Huit au pluriel
tout ordre nécessaire
tout
à la place indiquée de son nom
pour le vin et l'eau
L'échange s'accorde
sans effort prévu.

Zagreb

Interlude

Bicyclette - cercle
derrière le
jaune ticket de métro où commence tout voyage
Et déjà et depuis

Encore face au palais de voitures vitesse noire qui
apparaissent
disparaissent
sous les yeux.

Devant cette mince rue
qui contemple
les piétons
Au-dessus de la perspective de la ville-labyrinthe
Beau cercle de bicyclette

Prague

De loin en loin

Je t'ai vu m'as-tu reconnu?
Tu étais assis à la table du restaurant
Comme j'étais au centre, tu n'y croyais peut-être pas
tout à fait le soir
tu ne penses pas être là
Ma certitude vient de loin
et l'oubli de cette journée qui passait
sous neige vent
sous pluie vent
Ils disent tous gris, mais j'ai vu les dessins du mur
et de toi seulement le rouge
calme bouche
Yeux éveillés qui savent et qui se penchent
de mon côté
quand je raconte et
Quand je
Ris
Tu vois
Ici ou là

Berlin-Ouest

La cour

La cour de jadis, âme de l'hiver
brillant
Regard des hautes fenêtres
et pesanteur des pavés menant vers l'entrée
Le grand escalier surveille
de femme en femme, d'enfant en enfant
costumé
Passages
entrevus dans l'éclat

Raconte de nouvelles fables
le point d'où jaillit le monde
Témoignage.

Frontière

Le jour
connaît les trains qui passent
filant, sur les cailloux
qui entraînent

Jeunes hommes dans leur mi-sourire de frontière
Lui, en uniforme d'être ce que d'autres veulent
face à d'impeccables images
de vertes forêts parsemées de neige
Il cherche dans ce mouvement irrégulier
le sac rangé bleu blanc
la larme cristallisée
du ravin
Et le soir encerclé de vagues nuages
Et le théâtre qui appelle de loin
Monde -

Berlin-Est

Dehors est blanc

IV Toujours
Enterrement

à la mémoire de Mashel Teitelbaum

(Nos larmes coulent noires)
Nous accomplissons le même geste à l'envers du temps -
(nous creusons)
au milieu
notre peine commune
(les mots dits stylo noir sur blanc)
vers laquelle nous nous conduisons sur le vent
sur cet air agissant de feu
Ici.

Amitié

Tu as découvert un tranquille secret le jour où tu es entré
Dans cette pièce tu as aboli le temps
Et tout ce qui y menait

Tu cherchais un quotidien sentier indiqué qui
Suivait grandissant goutte à goutte les calmes
Règles de ta présente vision

Et cette étrange quête qui s'était déjà ouverte devant toi
N'a demandé qu'un pas ce jour-là
Et les immenses silences se sont tus.

À la place des deux doigts qui bâtissent le matin

Caressons les étoiles qui raniment l'espace
Elles touchent la terre d'un geste vague
Et ne savent que répondre.
L'arrière-fond salue l'avant-plan
Respectueusement
Dans la transmission d'un mot aigu
Qui retentit à travers l'inquiétude de l'âge
Et se pose ensuite sur un hêtre endormi
D'ici

Le Revenant

à la mémoire d'Ivar Luksep

Ce corps d'oiseau déchiré
comment réconcilier cette vie à
toutes celles que je garde en moi protégées
Inconsciences qui se veulent maîtres de pierre

L'épisode passé fragmenté
De cheminement urbain
illuminé
vers les cimes
D'où nous ne voyons que visages
à cet âge
difficulté de parler
Voyageurs, ils m'ont ramenée
il est apparu   flou rêvé
seulement les mains tendues
le voyageur autre

Cachette secrète
visage
Il me tient compagnie.

Confidences

Je m'inquiète par bouts raccourcis
par taches noires sur
le visage qui s'agrandit
J'écoute les genoux repliés
qui parlent pour deux
En trois on s'éparpille
parmi les mots mi-reconnus
qui éprouvent toujours l'impulsion de redevenir
Ce
Qu'autrefois
On pensait

Moments d'aube

Le chat s'allonge contre moi - chaleur mienne
Le téléphone sonne trois fois
bientôt toilette du matin
ébats
Et le lit de flocons recouvre ses secrets.
Dehors, les écoliers s'en vont
deux par deux
trois par trois
quatre par quatre
Chat noir sur tapis blanc, oeil vert
Et les flocons de neige trébuchent
comme mes pensées dans ma maison.

Paysage métamorphosé

Solitude   longtemps tu restes au singulier
à travers les verres fumés
la blanche fenêtre
le banc blanc disposé sur l'herbe
à ses côtés, feuilles peuplées d'ombres

Que ne verrai-je sur une carte?
le geste envoyé au futur
qui regarde de l'horizon caché
Je vois
L'horizon remué

Marcher

Sous le ciel d'été   soleil fort
sa blancheur   soleil blanc
s'allonger
pour l'amitié
par l'intérieur retenu
En équitables portions

Liquidité complémentaire.

Marseille

Vitre

Les bouleaux blancs
Jeunes filles de folklore russe
Tirent le coeur
Crient
Dansantes
S'épanouissent, surgissent
Au seuil de notre écorce

L'ombre de ce paysage accueillant
File soudain
Comme l'oiseau qui profite du temps
Sur les champs printaniers recouverts de blanc

Tu ouvres ta pensée
sans prétexte

Paroles

Ô pénétrantes stalactites qui repartez vers vos origines grecques
Des larmes inconnues allègent vos oniriques transports
Savez-vous seulement d'où vous resplendissez

Attachées indociles plus haut que la longiligne fenêtre
Longeant le mur de briques impunément grises
Vous apparaissez soudainement miroitantes

Courage face à l'inéluctable envol qui se tourne vers le bas
Autrement nous constatons la perte de merveilles
Comment les laisser désolées dans l'inanimé

Que restera-t-il des gouttes transparentes? à la limite de la vitre?
Captons l'infinité de cette liquéfaction de mémoire.

À la suite

Masque masque
Change de place

Où en es-tu
avec tes visions de dessous (ou sont-ce les miennes)
Poissons translucides diaphane rêverie
sont-ils rouges?
lisses en cas de danger
Je m'échappe
Ils s'alignent

Quel secret agencement cachent-ils, caches-tu?
Sur la parfaite surface
De ta volonté inconnue

Minceur hypnotique

Choc
Bruit Détonation de mots
sous le coup de l'horloge fixe,
qui est-ce qui guide fermement
le long de blancs corridors hypnotiques d'hôpital?

Atténuation
Infiltration d'une nouvelle substance; divague
dans la salle de classe, positions fragmentées
pourquoi doit-on doucement parvenir
à un point d'avance marqué?

Reprise
vision acrobatique d'yeux
renouvellement d'énergie
quand sera dévoilé le reflux
de corps qui quêtent l'apaisement?

Lettre-lecture

Star hunting
Juliette
Tu n'y penses pas

Tout ceci ne veut rien dire
Et pourtant
J'aborde la face cachée des choses
Tes cheveux yeux (tout est là, n'est-ce pas) bruns
Fixe

Par mon personnage interposé parle-moi
De mon intime destin
Conjure
Conjugue-le
Je t'entends

Et moi qui ai voulu lire toutes les lettres
Avant mon autodafé
Rassure-toi, pas de restes
L'essentiel est là.

Reprise

V Ensuite

Toi, Charlot, qui veilles ce soir
Espoir - non pas contre toute attente
                    notre monde

Nous rirons doucement le soir
Nous danserons à petits pas
Nous sourirons tout naturellement
                    en discutant merveille

Le réveil viendra bleu à travers la fenêtre
Arbres autour pour la vue (cachée)
Après la noirceur qui ne s'est jamais montrée
                    couverture inusitée

Et demain les objets retrouvés de la soirée
se souviendront
de nos secrets.

Portrait

Ce ne sont pas mes os; ce n'est qu'un déguisement
ne vous fiez pas à la chevelure rousse
dont le soleil est fier
Et aux yeux bleus de l'eau des lacs

Ils n'en seront que jamais plus étonnés
de cette parcelle lumineuse de vie agitée
et le rire qui de sa source va
Tintement de cloche
imperceptiblement
arrêté

Cette pluie - la larme qui tombe et se brise en mille morceaux
Le signe du genou
Les flèches sans peur
à vagues
Tout ce qui est laissé derrière tout ce qui va devant
Protégé
Vu
Vécu

Je retrouve les claires questions miennes
Des miens

Fort battement blessures de l'intime coeur
Cendres laissées dans tous les lieux.

Traversée verticale

Suivie de près par le chat
gardien de mes traversées du lac
Revivifiée selon une image
je nage
parmi les poissons translucides à taille moyenne

Comme moi, ils ont grandi
Tour de main majestueux ou soirées de printemps
sous la glace
presque fondue

Saute hors de l'eau
je les vois viser le ciel
cible lointaine
effroi

Intérieur

Il pleut dehors et dedans
sur les arbres de mai
Il ne reste que le reflet de la lampe
suspendue au plafond
vue dans la vitre
lorsqu'il se fait tard
Dans la mémoire d'yeux purifiés.

D'où sommes-nous partis?
le courant d'air nous suit
Nous arrêterons-nous un jour
Face à face?

Jeu de paysage

La vague cherche au loin
traverse le jardin de papillons jaunes
Ils voltigent sous le charme du ciel ensoleillé
que poursuit, endimanchée, la lumière

Dans ce juin été,
l'arbre se penche sur son destin
jusque dans les branchages feuillus
Une minute perplexe se lance à la poursuite
d'un instant sous le vent
de la lumière

La mémoire empaquette chaque dimension rebelle.

Vent du lac

La glace miroitante
suit son chemin
abaisse ses paupières
et vogue

Elle signale
auprès de ce roc dénudé
La beauté automnale
D'une branche de rouges feuilles

Avancée

À cette heure de ma vie
tout s'arrange
tout se dérange

inutile d'insister
Je vois ce qui mène
aussi loin que cette peine
sans yeux.

Enchaînée
je ferme la rougeur de cette voix que je connais
Comment voyons dit-on respirez
sur ce dessous d'intrigue
Je me propulse
jusqu'au débouché suivant
Saurais-je y rester
résister?

Chère

D'où il sort
et pour ne pas oublier la direction
difficulté de représenter
sombrer
tout près lorsque le deuxième mot
a été enlevé

Et l'absence tardive face à
l'involutée présence
si la tête tourne
se retourne
Ce n'est que pour la longue jupe qui sait flotter
Pour aucun mot.

Voix lointaine

Voilà.
Tu m'ensevelis de ta voix
de théoricien

L'âme de folie le long d'un long fil
Joue sous tes pas
Step by step

Plus loin: ne serait-ce que pour empêcher ces mots -
Rêve à cette nuit

Que tu t'insères dans la nuit ou que tu en sortes
sombre
Beau
Solitaire
Solaire
tu es présent

comme jadis nous
cherchons l'or du temps
éclat
dans le bleu-azur de la terre-mer
de celui aux yeux quelquefois émerveillés

Le départ est indiqué
de là, toutes nos routes:
circulation fragmentée.

L'un à l'autre

Un jour j'ai su
que tu tenais un fil mais
Par deux côtés
entre deux phrases échangées
par l'en-dessous de l'autre bout
Comme il se doit
Étoilé

J'envisage mille et mille questions sans retour
On me croit magique.

Présence

Le silence onduleux qu'apporte ta profondeur
on s'y résout en traversant les journées
de verdure envoûtante
Savoir
Expérimenter
Expérience
Durement
Dûment
à travers nos parcelles de temps grugé

Petits déguisements

Bouche fermée
Cousue
Trois fois plus noire
Que les cheveux de feu
L'encre
Le soleil
La langue à l'envers
Au creux de l'estomac
Renie ses délices

Rouge comme le sang de cette vie
Vernie
Craquée
Sous le poids d'un sourire
Trop bien construit

Douche douche
Les douleurs de cette nuit
(Et tant d'autres encore)
Le visage mouillé
Larmes
L'eau
Le feu

Vigilant reniant acceptant
Que sais-je
Où vis-je
Où vais-je
Dans ma maison

Mademoiselle sort rouge
D'un stylo noir.

Table des textes

Achevé d'imprimer
en décembre 1993 sur les presses
des Ateliers Graphiques Marc Veilleux Inc.
Cap-Saint-Ignace (Québec).